MI PRIMERA COMUNIÓN

(Catecismo del niño)

Actualizado según el Nuevo Catecismo de la Iglesia Católica, de acuerdo al texto latino oficial.
Por Salvador Rodríguez Gil, SJ y Pedro Ignacio Rovalo, SJ.

MI PRIMERA COMUNIÓN
Catecismo del niño
Roberto Guerra, SJ

*Puesto al día por Salvador Rodríguez Gil, SJ y
Pedro Ignacio Rovalo, SJ, miembro de la Comisión Episcopal
para la Pastoral Litúrgica.*

*Imprimi Potest: Carlos Soltero, SJ
Praep. Prov. + Meic, México a 31 de octubre de 1973
Imprimatur: Miguel Dario Miranda, Card. Arz. Primado
Ciudad de México a 5 de diciembre de 1973*

Primera edición: agosto 1945
81ª reimpresión: noviembre 2021

ISBN: 968-6056-06-8 Obra completa
ISBN: 968-6056-07-6 Niño

Con las debidas licencias

©2021, Obra Nacional de la Buena Prensa, A. C.
México
www.buenaprensa.com

Impreso en México por Activos Gráficos, S. A. de C. V.

UN BUEN CONSEJO AL CATEQUISTA

Si quieres que la preparación de tus niños a la Primera Comunión sea más eficiente y completa, mucho te recomendamos que aproveches "MI PRIMERA COMUNIÓN, Libro del maestro".

En ese libro va todo lo que lleva el libro del niño, pero con la explicación clara de cada pregunta.

Además, encontrarás en él una serie de explicaciones sobre la vida de Cristo, hechas en términos tales, que todos los niños las entenderán fácilmente. Así, conociendo mejor a quién van a recibir, más se enamorarán de él, para nunca olvidarlo en su vida.

PRÓLOGO

Hijo mío:

Piensa bien en esto que te voy a decir en nombre de nuestro Señor.

Jesucristo quiso quedarse con nosotros en la Santa Eucaristía, para poder venir a tu corazón, porque te quiere mucho.

Tú también quieres a Jesucristo y lo vas a recibir en tu corazón, para que viva contigo siempre.

Cuando en tu casa se espera la visita de una persona a quien se quiere mucho, arreglan muy bien la casa antes de que llegue la visita.

También tú necesitas prepararle tu corazón a Jesucristo, para que llegue a él como a su casa. Y la mejor manera de preparar tu corazón es conocer bien quién es el Señor a quien quieres recibir, y saber bien la doctrina que él nos vino a enseñar.

Aquí encontrarás todo lo que debe saber alguien que se prepara para hacer su Primera Comunión. Pero NO ES NECESARIO QUE TE APRENDAS LAS PREGUNTAS DE MEMORIA, basta con que entiendas bien lo que en ellas se te enseña, y que sepas responder a ellas CON TUS PROPIAS PALABRAS.

Después que ya te hayas preparado para tu Primera Comunión con este librito, entonces sí debes aprender bien, de MEMORIA, las preguntas que están en el Catecismo que te enseñen.

Y no vayas a ser tú como tantos niños ingratos que, después de haber recibido por primera vez a Jesucristo en su corazón, ya no quieren darle el gusto de seguir aprendiendo su santa doctrina en el Catecismo. Tú no serás ingrato; tú sí seguirás estudiando tu catecismo hasta que lo aprendas bien. Así, el Divino Jesús, a quien vas a recibir en tu corazón, estará contento contigo.

LA SEÑAL DE LA SANTA CRUZ

Por la señal de la Santa Cruz, de nuestros enemigos líbranos, Señor, Dios Nuestro.

En el nombre del Padre y del Hijo y del Espíritu Santo. Amén.

PADRENUESTRO

Padre nuestro, que estás en el cielo.
santificado sea tu nombre;
venga a nosotros tu reino;
hágase tu voluntad
en la tierra como en el cielo.
Danos hoy nuestro pan de cada día;
perdona nuestras ofensas.
como también nosotros perdonamos
a los que nos ofenden;
no nos dejes caer en la tentación,
y líbranos del mal.

AVEMARÍA

Dios te salve, María, llena eres de gracia. El Señor es contigo. Bendita tú eres entre las mujeres, y bendito es el fruto de tu vientre, Jesús.

Santa María , Madre de Dios, ruega por nosotros, pecadores, ahora y en la hora de nuestra muerte. Amén.

GLORIA

Gloria al Padre, y al Hijo, y al Espíritu Santo.

Como era en el principio, ahora y siempre, por los siglos de los siglos. Amén.

CREDO

Creo en un solo Dios,
Padre todopoderoso,
Creador del cielo y de la tierra,
de todo lo visible y lo invisible.

Creo en un solo Señor, Jesucristo,
Hijo único de Dios,
nacido del Padre
antes de todos los siglos:
Dios de Dios, Luz de Luz,
Dios verdadero de Dios verdadero,
engendrado, no creado,
de la misma naturaleza del Padre,
por quien todo fue hecho;
que por nosotros, los hombres,
y por nuestra salvación
bajó del cielo,
y por obra del Espíritu Santo
se encarnó de María, la Virgen,
y se hizo hombre;
y por nuestra causa fue crucificado
en tiempos de Poncio Pilato,
padeció y fue sepultado,
y resucitó al tercer día,
según las Escrituras,
y subió al cielo,
y está sentado
a la derecha del Padre;
y de nuevo vendrá con gloria
para juzgar a vivos y muertos,
y su reino no tendrá fin.

Creo en el Espíritu Santo,
Señor y dador de vida,
que procede del Padre y del Hijo,
que con el Padre y el Hijo
recibe una misma adoración y gloria,
y que habló por los profetas.

Creo en la Iglesia,
que es una, santa, católica
y apostólica.
Confieso que hay un solo bautismo
para el perdón de los pecados.
Espero la resurrección
de los muertos
y la vida del mundo futuro.

Amén.

SALVE

Dios te salve, Reina y Madre de misericordia.
Vida, dulzura y esperanza nuestra, Dios te salve.
A ti clamamos los desterrados hijos de Eva.
A ti suspiramos, gimiendo y llorando
en este valle de lágrimas.
Ea, pues, Señora, abogada nuestra: vuelve a nosotros esos
tus ojos misericordiosos; y después de este destierro, muéstranos
a Jesús, fruto bendito de tu vientre.
¡Oh clemente, oh piadosa, oh dulce Virgen María!
Ruega por nosotros, santa Madre de Dios.
Para que seamos dignos de alcanzar las divinas gracias
y promesas de nuestro Señor Jesucristo. Amen.

YO CONFIESO

Yo confieso ante Dios todopoderoso y ante ustedes, hermanos, que he pecado mucho de pensamiento, palabra, obra y omisión. Por mi culpa, por mi culpa, por mi gran culpa. Por eso ruego a santa María, siempre Virgen, a los ángeles, a los santos y a ustedes, hermanos, que intercedan por mí ante Dios, nuestro Señor.

ACTO DE CONTRICIÓN

Señor mío Jesucristo, Dios y hombre verdadero, me pesa de todo corazón de haber pecado, porque he merecido el infierno y he perdido el cielo, y sobre todo, porque te ofendí, a ti que eres tan bueno y que tanto me amas, y a quien yo quiero amar sobre todas las cosas.

Propongo firmemente, con tu gracia, enmendarme y alejarme de las ocasiones de pecar, confesarme y cumplir la penitencia. Confío en que me perdonarás por tu infinita misericordia. Amén.

*

SACRAMENTOS

Los Sacramentos de la Santa Madre Iglesia son siete:

El primero: Bautismo
El segundo: Confirmación
El tercero: Eucaristía
El cuarto: Reconciliación o Penitencia**
El quinto: Unción de los enfermos
El sexto: Orden Sacerdotal
El séptimo: Matrimonio

---

* El *Catecismo de la Iglesia católica* pone los sacramentos antes de los mandamientos; por eso hemos cambiado el orden tradicional.

** La tradición de la Iglesia es que se acuda al Sacramento de la Reconciliación antes de la Primera comunión.

MANDAMIENTOS DE LA LEY DE DIOS

Los Mandamientos de la Ley de Dios son diez:

Los tres primeros se refieren al honor de Dios y los otros siete, al provecho del prójimo.

El   1º   Amarás a Dios sobre todas las cosas.
El   2º   No tomarás el nombre de Dios en vano.
El   3º   Santificarás las fiestas.
El   4º   Honrarás a tu padre y a tu madre.
El   5º   No matarás.
El   6º   No cometerás actos impuros.
El   7º   No robarás.
El   8º   No darás falso testimonio ni mentirás.
El   9º   No consentirás pensamientos ni deseos impuros.
El   10º No codiciarás los bienes ajenos.

MANDAMIENTOS DE LA IGLESIA

Los Mandamientos de la santa Madre Iglesia son cinco:

El   1º   Participar en la Misa los domingos y fiestas de guardar.
El   2º   Confesarse, a lo menos una vez al año o cuando hay peligro de muerte o antes de comulgar.
El   3º   Comulgar a lo menos una vez al año.
El   4º   Hacer los ayunos y abstinencias señalados.
El   5º   Prestar la debida ayuda material a la Iglesia.

Nota: Mucho recomendamos a los catequistas y a los padres de familia *MI PRIMERA COMU-NIÓN –Libro del maestro–*, pues lo creemos indispensable para mejor preparar al niño a su Primera Comunión (Ribera de San Cosme 5, Col. Santa María la Ribera C.P. 06400 / Tels. 55555546 4500 ext. 520 y 528 / ventas@buenaprensa.com / www.buenaprensa.com / Ciudad de México).

CAPÍTULO PRIMERO

LA CREACIÓN

1.- ¿Quién creó el cielo, la tierra y todas las cosas?
Dios creó el cielo, la tierra y todas las cosas.

2.- ¿Quién creó al hombre?
Dios creó al hombre.

3.- ¿Cómo creó Dios al hombre?
Dios creó al hombre a su imagen y semejanza.

4.- ¿Cómo se llamó el primer hombre?
El primer hombre se llamó Adán.

5.- ¿Cómo creó Dios a la primera mujer?
Dios creó a la primera mujer a su imagen y semejanza, con la misma dignidad y derechos que el hombre.

6.- ¿Cómo se llamó la primera mujer?
La primera mujer se llamó Eva.

7.- ¿Dónde puso Dios a nuestros primeros padres?
Dios puso a nuestros primeros padres en un lugar muy hermoso llamado "Paraíso terrenal".

8.- ¿Cuál es el principal regalo que Dios hizo a la mujer y al hombre?
El principal regalo que Dios hizo a la mujer y al hombre es la vida humana y la gracia santificante.

9.- ¿Qué es la gracia santificante?
La gracia santificante es un regalo de Dios, que nos hace hijos suyos.

10.- ¿Para qué hizo Dios al hombre y a la mujer?
Dios hizo al hombre y a la mujer para que lo amen a él y a todos los seres humanos.

11.- ¿Para qué hizo Dios todas las cosas?
Dios hizo todas las cosas para que nos ayuden a amarlo a él y a todos los seres humanos, y así podamos llegar al cielo.

12.- ¿Qué es el cielo?
El cielo es estar con Dios y gozar de su compañía para siempre.

CAPÍTULO SEGUNDO

DIOS

13.- ¿Quién es Dios?

Dios es nuestro creador, todo lo sabe, nos ama, nos hace sus hijos y todo lo puede.

14.- ¿Cómo es Dios?

Dios es nuestro Padre, bueno y amoroso, que no tiene fin.

15.- ¿Dónde está Dios?
Dios está en todas partes.

16.- ¿Dios ve todos nuestros pensamientos y nuestras acciones?
Sí, Dios ve todos nuestros pensamientos y nuestras acciones y se alegra cuando nos portamos como hermanos.

17.- ¿Podemos ver a Dios en esta vida?
No podemos ver a Dios en esta vida porque es Espíritu.

18.- ¿Cuántos dioses hay?
Hay un solo Dios verdadero.

19.- ¿Cuántas personas hay en Dios?
En Dios hay tres Personas distintas y un solo Dios verdadero.

20.- ¿Quiénes son las tres personas distintas?
Las tres Personas distintas son el Padre y el Hijo y el Espíritu Santo.

21.- ¿El Padre es Dios?
Sí, el Padre es Dios.

22.- ¿El Hijo es Dios?
Sí, el Hijo es Dios.

23.- ¿El Espíritu Santo es Dios?
Sí, el Espíritu Santo es Dios.

24.- ¿Hay entonces tres dioses?
No hay tres dioses. Hay un solo Dios en tres Personas distintas.

25.- ¿Cómo se llama el misterio de un solo Dios, en tres Personas distintas?
El misterio de un solo Dios en tres Personas distintas se llama: Misterio de la Santísima Trinidad.

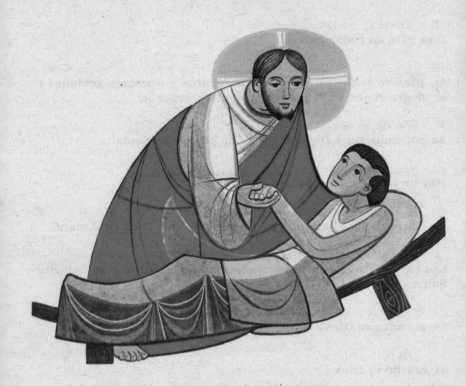

CAPÍTULO TERCERO

CAÍDA DEL HOMBRE –CASTIGO– PROMESA DEL REDENTOR

26.- ¿Qué les ordenó Dios a nuestros primeros padres?
Dios ordenó a nuestros primeros padres que lo amaran y lo obedecieran como a su Creador.

27.- ¿Y obedecieron a Dios nuestros primeros padres?
Nuestros primeros padres no obedecieron a Dios. Esto se llama pecado.

28.- ¿Quién propuso a nuestros primeros padres desobedecer a Dios?
El demonio propuso a nuestros primeros padres desobedecer a Dios.

29.- ¿Quién creó a los ángeles?
Dios creó a los ángeles.

30.- ¿Qué son los ángeles?
Los ángeles son sólo espíritu, porque no tienen cuerpo.

31.- ¿Quién es el ángel de la guarda?
El ángel de la guarda es un ángel amigo que nos cuida y nos ayuda a amar a las personas y a Dios.

32.- ¿Quiénes son los demonios?
Los demonios son los ángeles que se volvieron malos por el pecado.

33.- ¿Qué pecado cometieron los ángeles que se volvieron malos?
El pecado que cometieron los ángeles que se volvieron malos fue que no quisieron obedecer el mandato de Dios.

34.- ¿Cómo fueron castigados los ángeles malos?
Los ángeles malos fueron castigados en el infierno.

35.- ¿Qué es el infierno?
El infierno es la separación definitiva del pecador de la amistad con Dios y con los santos.*

36.- ¿Qué les sucedió a nuestros primeros padres a causa del pecado?
A causa del pecado, nuestros primeros padres perdieron la gracia santificante que Dios les había dado, fueron expulsados del paraíso y condenados a morir.

37.- ¿Qué males nos trajo la desobediencia de nuestros primeros padres?
Los males que nos trajo la desobediencia de nuestros primeros padres son el pecado original y la muerte.

38.- ¿Cómo se nos quita el pecado original?
Dios nos quita el pecado original por medio del Bautismo.

39.- ¿Qué les prometió Dios a nuestros primeros padres después de su pecado?
Dios les prometió a nuestros primeros padres que les mandaría un Redentor.

---

* Catecismo de la Iglesia católica, n. 1033.

CAPÍTULO CUARTO

JESUCRISTO, EL REDENTOR PROMETIDO

40.- ¿Quién es el Redentor prometido a los hombres?
El Redentor prometido a los hombres es Jesucristo.

41.- ¿Quién es Jesucristo?
Jesucristo es el Hijo de Dios hecho hombre.

42.- ¿Jesucristo es verdadero Dios y verdadero hombre?
Sí, Jesucristo es verdadero Dios y verdadero hombre.

43.- ¿Quién es la Madre de Jesucristo?
La Madre de Jesucristo es la Virgen María.

44.- ¿Quién es el Padre de Jesucristo?
El Padre de Jesucristo es Dios Padre.

45.- ¿Quién fue san José?
San José fue el padre adoptivo de Jesucristo.

46.- ¿Dónde nació Jesucristo?
Jesucristo nació en una cueva de Belén.

47.- ¿Cuándo celebramos el nacimiento de Jesucristo?
Celebramos el nacimiento de Jesucristo el 25 de diciembre.

48.- ¿Cuántos años vivió Jesucristo?
Jesucristo vivió cerca de treinta y tres años.

49.- ¿Qué hizo Jesucristo hasta los treinta años?
Jesucristo, hasta los treinta años, vivió con su Madre santísima en el pueblito de Nazaret, ejerciendo el oficio de carpintero.

50.- ¿Qué hizo Jesucristo en los últimos tres años de su vida?
Jesucristo, en los últimos tres años de su vida, convivió con la gente, predicó el Reino de Dios e hizo muchos milagros.

51.- ¿Para qué hizo milagros Jesucristo?
Jesucristo hizo muchos milagros para enseñarnos que el Reino había llegado.

52.- ¿Qué hizo Jesucristo para salvarnos?
Jesucristo, para salvarnos, vivió toda su vida humana cumpliendo fielmente la voluntad de su Padre.

53.- ¿Qué más hizo Jesucristo para salvarnos?
Jesucristo para salvarnos, padeció y murió por nosotros en una cruz.

54.- ¿Dónde murió Jesucristo?
Jesucristo murió crucificado en Jerusalén.

55.- ¿Qué hizo Jesucristo al tercer día después de su muerte?
Jesucristo, al tercer día después de su muerte, resucitó.

56.- ¿Qué hizo Jesucristo después de que resucitó?
Jesucristo, después de que resucitó, subió al cielo y está sentado a la derecha del Padre.

57.- ¿Quiénes van al cielo?
Van al cielo los que mueren en gracia.

58.- ¿Quiénes son los que mueren en gracia?
Mueren en gracia los que al morir no tienen pecado mortal.

59.- ¿Quiénes van al infierno?
Quienes se separan definitivamente de la presencia de Dios, que son los que mueren en pecado mortal.

CAPÍTULO QUINTO

SACRAMENTOS*

60.- ¿Para qué fundó Jesucristo su Iglesia?
Jesucristo fundó su Iglesia para que su obra de salvación llegue a todos.

61.- ¿Cuáles son los medios principales que Jesucristo dio a la Iglesia para que su obra de salvación llegue a todos los hombres?
Los medios principales que Jesucristo dio a la Iglesia para que su obra de salvación llegue a todos los hombres son los sacramentos.

62.- ¿Qué son los sacramentos?
Los sacramentos son acciones de Jesucristo y de la Iglesia que hacen realidad la gracia que significan.

---

* El *Catecismo de la Iglesia católica* estudia primero los sacramentos y luego los mandamientos. Por eso hemos escogido este orden.

63.- ¿Cuántos y cuáles son los Sacramentos?

Los Sacramentos son siete:
Los tres primeros se llaman de **Iniciación cristiana:**
   El primero: Bautismo, que borra del alma el pecado original, nos incorpora a Cristo muerto y resucitado y nos hace hijos de Dios y miembros de la Iglesia.
   El segundo: Confirmación, que completa la gracia del Bautismo y nos da la fuerza para defender nuestra fe como buenos soldados de Cristo.
   El tercero: Eucaristía, que hace presente el sacrificio de Jesucristo y nos permite participar plenamente en él por medio de la Comunión.

Los dos siguientes se llaman de **Curación:**
   El cuarto: Reconciliación o Penitencia, que borra los pecados cometidos después del Bautismo.
   El quinto: Unción de los enfermos, que le ayuda al enfermo a llevar cristianamente su enfermedad y le devuelve la salud si le conviene.

Y los dos últimos se llaman de **Servicio a la comunidad:**
   El sexto: Orden sacerdotal, que hace a los hombres que lo reciben, sacerdotes y representantes de Cristo.
   El séptimo: Matrimonio, que hace presente en el mundo el amor de Cristo a su Esposa, la Iglesia, por medio del amor fiel de los esposos cristianos.

64.- ¿Qué es la Comunión?

La Comunión es el alimento de nuestra vida cristiana. Comemos el Cuerpo de Cristo y bebemos su Sangre.

CAPÍTULO SEXTO

LOS MANDAMIENTOS DE DIOS Y DE LA IGLESIA

65.- ¿Qué debemos hacer para ir al cielo?

Para ir al cielo, debemos amar a Dios y al prójimo, cumpliendo los Mandamientos.

66.- ¿A quién le dio Dios sus Mandamientos?

Dios le dio sus Mandamientos a Moisés, en el Monte Sinaí, para que nos los enseñara.

67.- ¿Cuántos son los Mandamientos de Dios?

Los Mandamientos de Dios son diez:

El primero: "Amarás a Dios sobre todas las cosas". Esto quiere decir que prefiero morir antes que cometer un pecado mortal.

El segundo: "No tomarás el nombre de Dios en vano". Esto quiere decir, que no debo poner a Dios como testigo de lo que digo.

El tercero: "Santificarás las fiestas". Esto quiere decir que tengo que asistir a Misa los domingos y fiestas de precepto, y descansar en esos días.

El cuarto: "Honrarás a tu padre y a tu madre". Esto quiere decir que tengo que obedecer, amar y ayudar a mis padres en lo que necesiten.

El quinto: "No matarás". Esto quiere decir que no le debo hacer daño a nadie, ni siquiera con el pensamiento o con mis palabras.

El sexto: "No cometerás actos impuros". Esto quiere decir que no debo hacer cosas malas, en lo que se refiere al sexo.

El séptimo: "No robarás". Esto quiere decir que no debo apoderarme de lo ajeno contra la voluntad de su dueño.

El octavo: "No darás falso testimonio ni mentirás". Esto quiere decir que no debo contar mentiras ni causar daño con lo que digo.

El noveno: "No consentirás pensamientos ni deseos impuros". Esto quiere decir que no debo pensar ni mirar ni platicar cosas malas en lo que se refiere al sexo, sino tratar todo eso con el respeto con que Dios quiere.

El décimo: "No codiciarás los bienes ajenos". Esto quiere decir que no debo querer apoderarme de lo ajeno.

68.- ¿A quién encargó Jesucristo que nos enseñara lo que debemos hacer?
Jesucristo encargó a la santa madre Iglesia, que nos enseñe lo que debemos hacer.

69.- ¿Qué es la Iglesia?
La Iglesia es la comunidad de los bautizados fundada por Jesucristo y encomendada al Papa y a los obispos, sucesores de los apóstoles.

70.- ¿Cuántos son los Mandamientos de la Iglesia'?
Los Mandamientos de la Iglesia son cinco:

El primero: Participar en la Misa los domingos y fiestas de guardar.

El segundo: Confesarse, si uno tiene pecado mortal:
1º A lo menos una vez al año, dentro del tiempo señalado.
2º Cuando hay peligro de muerte.
3º Antes de comulgar.

El tercero: Comulgar, cuando menos una vez al año, en el tiempo señalado.

El cuarto: Hacer los ayunos y abstinencias señalados. Esto quiere decir, que debo ayunar y no comer carne cuando lo manda la Iglesia.

El quinto: Pagar el diezmo a la Iglesia y ayudarla en sus necesidades. Esto quiere decir, que debo ayudar con mis limosnas a la Iglesia, como lo mande el señor obispo.

71.- ¿Quién le dio a la Iglesia el poder de darnos mandamientos?
El mismo Jesucristo, que fundó la Iglesia, le dio el poder de darnos mandamientos.

CAPÍTULO SÉPTIMO

LA ORACIÓN

72.- ¿Qué otro medio tenemos para que la obra de salvación de Jesucristo llegue a todos los hombres?

Otro medio que tenemos para que la obra de salvación de Jesucristo llegue a todos los hombres, es la oración.

73.- ¿Qué cosa es orar?

Orar es hablar con Dios para darle gracias o pedirle favores.

74.- ¿Cuáles son las principales oraciones que tenemos?

Las principales oraciones que tenemos son el Padrenuestro y el Avemaría.

75.- ¿Quién hizo la oración del Padrenuestro?

La oración del Padrenuestro la hizo el mismo Cristo nuestro Señor.

76.- ¿Quién hizo la oración del Avemaría?

La oración del Avemaría la hizo la santa Iglesia, usando algunas palabras del Arcángel san Gabriel y de santa Isabel.

77.- ¿De qué otra manera podemos hacer oración?

Podemos también hacer oración platicando con Dios como con un amigo y contándole todo lo que nos pasa en la vida.

CAPÍTULO OCTAVO

EL PECADO

78.- ¿Cuántas clases hay de pecado?
Hay dos clases de pecado: el original y el actual.

79.- ¿Qué es el pecado original?
El pecado original es aquel con que nacemos y viene de nuestros primeros padres.

80.- ¿Qué es el pecado actual?
El pecado actual es el que nosotros mismos hacemos.

81.- ¿Cuántas clases hay de pecado actual?
Hay dos clases de pecado actual: el mortal y el venial.

82.- ¿Qué cosa es el pecado mortal?
El pecado mortal es una ofensa grave al prójimo y a Dios, hecha con plena libertad y con pleno conocimiento del mal que hacemos.

83.- ¿Qué cosa es el pecado venial?
El pecado venial es una ofensa pequeña al prójimo y a Dios.

84.- ¿Qué daño le causa al hombre el pecado mortal?
El pecado mortal le quita al hombre la amistad con Dios y lo pone en camino del infierno.

85.- ¿Qué daño causa al hombre el pecado venial?
El pecado venial debilita la amistad con Dios y pone al hombre en camino del purgatorio.

CAPÍTULO NOVENO

RECONCILIACIÓN O PENITENCIA

86.- ¿Cómo se quita el pecado original?
El pecado original se quita con el sacramento del Bautismo.

87.- ¿Cómo se quita el pecado mortal cometido después del Bautismo?
El pecado mortal cometido después del Bautismo se quita con el sacramento de la Reconciliación o Penitencia.

88.- ¿Cuándo le dio Jesucristo a la Iglesia el sacramento de la Reconciliación o Penitencia?

Jesucristo le dio a la Iglesia el sacramento de la Reconciliación o Penitencia cuando, después de resucitar, se apareció a los apóstoles y les dio el poder de perdonar los pecados.

89.- ¿Qué cosas se necesitan para recibir bien el sacramento de la Reconciliación o Penitencia?

Para recibir bien el sacramento de la Reconciliación o Penitencia, se necesitan cinco cosas:

    1º "Examen de conciencia": Esto es, acordarme de los pecados que hice.

    2º "Contrición": Esto es, tener pena o tristeza de haber ofendido a Dios, con verdadero arrepentimiento de haberlo hecho.

    3º "Propósito de enmienda": Esto es, prometer no volver a pecar.

    4º "Confesión de boca": Esto es, decirle mis pecados al confesor.

    5º "Cumplir la penitencia": Esto es, hacer lo que el confesor, al confesarme, me dijo que hiciera.

90.- ¿Qué es de nuestra parte lo más fundamental en la Reconciliación?

Lo más fundamental de nuestra parte en la Reconciliación es la contrición.

91.- ¿Cuántas clases de contrición hay?

Hay dos clases de contrición, a saber: contrición perfecta y contrición imperfecta.

92.- ¿Cuándo es perfecta la contrición?

La contrición es perfecta cuando tengo pena o tristeza de haber ofendido a Dios, porque es tan bueno, y por eso quiero acudir al sacramento de la Reconciliación o Penitencia.

93.- ¿Cuándo es imperfecta la contrición?

La contrición es imperfecta cuando tengo pena o tristeza de haber ofendido a Dios, por miedo del infierno o de otros castigos.

94.- Y cuando no hay padre para confesarme y estoy en pecado mortal, ¿qué debo hacer?

Cuando no hay padre para confesarme y estoy en pecado mortal, debo hacer un acto de contrición perfecta para que Dios perdone mi pecado, con el propósito de acudir al sacramento de la Reconciliación o Penitencia tan pronto como me sea posible.

95.- ¿Qué pecados tenemos que decir en la confesión?
En la confesión tenemos que decir los pecados mortales.

96.- Además del sacramento de la Reconciliación o Penitencia, ¿con qué otros medios se quitan los pecados veniales?
Además del sacramento de la Reconciliación o Penitencia, los pecados veniales se quitan con el ayuno, la limosna o la oración.

97.- ¿Es necesario decir todos los pecados veniales en la confesión?
No es necesario decir todos los pecados veniales en la confesión.

98.- ¿Cómo podemos vencer la vergüenza que nos da a todos confesar nuestros pecados?
Podemos vencer la vergüenza que nos da confesar nuestros pecados, pensando en que Cristo nos ama más de lo que nosotros podemos imaginar y en que él ha venido a perdonar los pecados.

99.- ¿Quién perdona los pecados en el sacramento de la Reconciliación o Penitencia?
En el sacramento de la Reconciliación o Penitencia Cristo es el que perdona los pecados por medio del sacerdote.

100.- El que se olvidó de decir un pecado mortal en la confesión, ¿puede comulgar?
El que se olvidó de decir un pecado mortal en la confesión, sí puede comulgar, pero en la siguiente confesión dirá al padre el pecado mortal que se le olvidó.

101.- Para poder comulgar, ¿es necesario confesarse antes?
Para poder comulgar, NO ES NECESARIO confesarse antes, a no ser que se tenga conciencia de haber cometido un pecado mortal.

CAPÍTULO DÉCIMO

LA EUCARISTÍA

102.- ¿Cuál de los siete sacramentos es el sacramento central?
El sacramento central de los siete sacramentos es la Eucaristía.

103.- ¿Por qué la Eucaristía es el sacramento central de los siete sacramentos?
La Eucaristía es el sacramento central de los siete sacramentos, porque en él está la salvación que Jesucristo nos consiguió con su muerte y resurrección.

104.- ¿Qué otro nombre le damos al sacramento de la Eucaristía?
Al sacramento de la Eucaristía le damos también el nombre de santa Misa.

105.- ¿Qué es la santa Misa?

La santa Misa es hacer presente lo que Jesucristo hizo con sus apóstoles en la Ultima Cena.

106.- ¿Qué hizo Jesucristo con sus apóstoles en la Última Cena?

Jesucristo en la Última Cena tomó el pan y el vino, dio gracias a Dios, los consagró, partió el pan consagrado y lo dio a comer a sus apóstoles, y luego les dio a beber el vino consagrado.

107.- ¿Cómo hizo presente Jesucristo el sacrificio de la Cruz en la Última Cena?

Jesucristo en la Última Cena hizo presente su sacrificio en una comida de fiesta.

108.- ¿Cómo hacemos presente el sacrificio de Jesucristo en la Cruz?

En la santa Misa hacemos presente el sacrificio de Jesucristo como una fiesta en familia, al celebrar la misma fiesta que él tuvo con sus apóstoles.

109.- ¿En qué consistió el sacrificio de Jesucristo en la cruz?

El sacrificio de Jesucristo en la cruz consistió en que él se ofreció, por amor a su eterno Padre, por la salvación de todos los hombres.

110.- ¿Qué ordenó Jesucristo a los apóstoles en la Última Cena?

En la Última Cena Jesucristo ordenó a sus apóstoles que volvieran a hacer, en conmemoración suya, lo que él acababa de hacer.

111. - ¿Qué es una hostia no consagrada?

Una hostia no consagrada es sólo un pedazo de pan.

112.- ¿Qué es una hostia consagrada?

Una hostia consagrada es el Cuerpo de nuestro Señor Jesucristo.

113.- ¿Qué es el vino no consagrado?

El vino no consagrado es sólo un poco de vino.

114.- ¿Qué es el vino consagrado?

El vino consagrado es la Sangre de nuestro Señor Jesucristo.

115.- ¿Cuándo comemos el Cuerpo de Nuestro Señor Jesucristo y bebemos su Sangre?

Comemos el Cuerpo de nuestro Señor Jesucristo y bebemos su Sangre cuando recibimos la Comunión.

116.-¿Para qué quiere nuestro Señor Jesucristo que comamos su Cuerpo y bebamos su Sangre?

Jesucristo quiere que comamos su Cuerpo y bebamos su Sangre para alimentar la vida de hijos de Dios que recibimos de él en el Bautismo.

117.- ¿Qué se necesita para hacer una buena Comunión?

Para hacer una buena Comunión, se necesitan cuatro cosas:
   1º No tener ningún pecado mortal. (Si sólo tengo pecados veniales, sí puedo comulgar).
   2º Haber guardado el ayuno eucarístico.
   3º Acercarse a comulgar con devoción, pensando a quién voy a recibir.
   4º Caer en la cuenta de que en el momento de comulgar, recibo a Jesucristo, nuestro Señor.

118.- ¿En qué consiste el ayuno eucarístico?

El ayuno eucarístico consiste en no comer ni beber antes de comulgar, durante el tiempo señalado por la Iglesia.

119.- ¿Cuál es el tiempo señalado por la Iglesia para los alimentos sólidos, líquidos o para las bebidas alcohólicas?

El tiempo señalado por la Iglesia para los alimentos sólidos o líquidos o para las bebidas alcohólicas es de una hora.

120.- Si se tomó agua o alguna medicina, ¿se puede comulgar enseguida?

Sí, si se tomó agua o alguna medicina, se puede comulgar enseguida.

121.- ¿El ayuno eucarístico obliga a los que están enfermos?

No, el ayuno eucarístico no obliga a los que están enfermos.

122.- ¿Qué hay que hacer después de la Comunión?

Después de la Comunión hay que platicar con Jesucristo, para darle gracias y pedirle lo que queremos.

123.- ¿Cuándo hay obligación de comulgar?

Hay obligación de comulgar una vez al año, en el tiempo mandado por la Iglesia, y cuando hay peligro de muerte.

124.- ¿Es bueno comulgar todos los domingos?

No sólo es bueno comulgar todos los domingos, sino muy conveniente.

125.- ¿Se puede comulgar todos los días?
Sí, se puede comulgar todos los días.

126.- ¿Es necesario conocer mejor a Jesús después de la Primera Comunión?
Sí, es necesario conocer mejor a Jesús, leyendo los evangelios, tratando con él en la oración y estudiando el _Catecismo de la Iglesia católica_, para poder madurar en la fe.

> Nuestro Señor Jesucristo instituyó la Santa Misa o Eucaristía en la Ultima Cena cuando consagró el pan y el vino, dio a comer su Cuerpo y a beber su Sangre a los apóstoles y les ordenó que hicieran eso en conmemoración suya.

MI PRIMERA CONFESIÓN

* Ya me preparé para hacer mi PRIMERA COMUNIÓN, ahora me voy a CONFESAR.

* Jesucristo mandó que nos confesáramos cuando se apareció a los apóstoles, después de resucitado, y les dijo que sólo se perdonarían los pecados que ellos, sacerdotes, perdonaran. Por eso yo me voy a confesar con un sacerdote para que me perdone.

1º Pienso un ratito para acordarme de mis pecados y pedirle perdón a Dios, y decírselos al padre.

2º Me acerco al confesionario y cuando el padre me saluda diciendo "Ave María Purísima", yo le contesto: "Sin pecado concebida" y me santiguo diciendo: **En el nombre del Padre, y del Hijo y del Espíritu Santo. Amén.**

3º El padre me dice: Dios nuestro, que ha hecho brillar la luz de la fe en nuestros corazones, te conceda reconocer sinceramente tus pecados y su misericordia.

Yo le respondo: **Amén.**

4º El padre me lee algún trozo de la Sagrada Escritura. Por ejemplo: "Yo les digo que habrá más alegría en el cielo por un solo pecador, cuando se arrepiente, que por noventa y nueve justos que no necesitan arrepentirse". Palabra de Dios.

Yo respondo: **Te alabamos, Señor.**

5º Después yo le digo al padre: **Padre, yo reconozco humildemente delante de Dios todos mis pecados y en especial me acuso de:** y comienzo a decirle mis pecados de que me acuerdo, y si tengo alguno que me parece que es grande, ése lo digo primero, y luego sigo con los demás.

6º Cuando acabo de decir mis pecados, el padre me manda que rece, en penitencia y para enmienda de mi vida, algunas oraciones o que haga alguna obra buena. Después me dice que pida perdón por mis pecados. Entonces yo digo esta oración (u otro acto de contrición que me sepa):

Recuerda, Señor, que tu ternura y tu misericordia son eternas. No te acuerdes de mis pecados y maldades, acuérdate de mí con misericordia, por tu bondad, Señor.

7º Entonces el padre me da la absolución diciéndome: **Dios Padre misericordioso, que reconcilió al mundo consigo por la muerte y la resurrección de su Hijo y envió al Espíritu Santo para el perdón de los pecados, te conceda, por el ministerio de la Iglesia, el perdón y la paz. Y YO TE ABSUELVO DE TUS PECADOS, EN EL NOMBRE DEL PADRE, Y DEL HIJO, Y DEL ESPÍRITU SANTO.**

Yo respondo: **Amén.**

8º El sacerdote me dice: **Da gracias al Señor, porque es bueno.**

Yo respondo: **Porque es eterna su misericordia.**

El padre me dice: **El Señor te ha perdonado tus pecados. Vete en paz.**

Enseguida me levanto y me voy a rezar lo que el padre me dijo o hago el propósito de hacer la obra buena que me indicó.

* ¡Dios ya me perdonó! ¡Qué bueno es Dios al perdonarme! Yo también voy a ser bueno con Dios, y por eso voy a procurar no volver a ofenderlo.

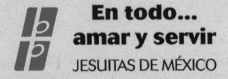

En todo...
amar y servir
JESUITAS DE MÉXICO